Birdy & Bou

David Bedford y Mandy Stanley

miau

Título original: *Birdy & Bou.*

De esta edición: © 2018 Ediciones Jaguar. C/ Laurel 23, 1º. 28005 Madrid. www.edicionesjaguar.com - jaguar@edicionesjaguar.com

Traducción: Merme L'Hade · IBIC: YBC | ISBN: 978-84-16434-95-4

Text copyright © 2018 David Bedford • Illustrations copyright © 2018 Mandy Stanley

First published in Great Britain in 2018 by Simon & Schuster UK Ltd, 1St Floor, 222 Gray's Inn Road, London, WC1X 8HB • A CBS company

(f) EdicionesJaguar   (twitter) @Ed_Jaguar   (instagram) edicionesjaguar

Un día, Bou, el panda de la orejita roja,
vio algo muy especial navegando
río abajo.

—¡Es la biblioteca flotante! —exclamó.

—¡VIVA!

—Voy a por mi libro
favorito —dijo Bou.

Cruzó todo el pueblo dando saltos.

—¡Buenos días, Bou! —le llamó Miki.

—¡No puedo pararme! Voy
a la biblioteca —dijo Bou.

Bou no podía esperar a encontrar su libro.

Trepó todas
las escaleras...

... y
bajó
los escalones
botando.

Pero su libro no estaba por ninguna parte.

—Lo siento, Bou —dijo el bibliotecario—.
Se lo presté a Birdy hoy.

—Oh —dijo Bou.
Estaba muy triste.

¡Bou quería su libro favorito!
—¡Tengo que encontrar a Birdy! —se dijo.

—¿Alguien
le ha visto?

—Lo sentimos, Bou —dijeron
los otros animales.

—¿Por qué no sigues
esas huellas?

—¡Mi libro! —exclamó Bou—.

Pero ¿dónde está Birdy?

—¡Oh! —se rio Bou—. Así no se puede leer. ¿Quieres que te enseñe?

—¡Pío!
—dijo Birdy.

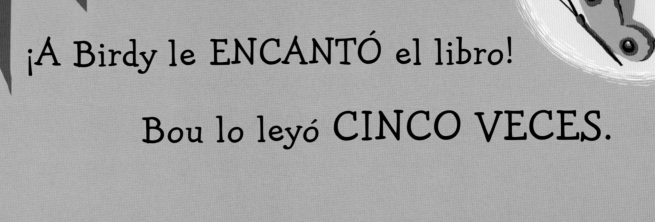

¡A Birdy le ENCANTÓ el libro!

Bou lo leyó CINCO VECES.

AVES
del mundo

¡piío!

Y entonces...

¡CHÚÚ CHÚÚÚÚ!

—¡Es la biblioteca flotante! —dijo Bou.

—Se está yendo. ¡Tenemos que devolver el libro!

Corrieron y corrieron.

Pero cuando llegaron al río…

... la biblioteca había zarpado.

—¡Oh, no! —dijo Bou—. ¿Cómo vamos a devolver el libro ahora?

AVES del mundo

¡Pío!

De repente,

FLAP, FLAP, FLAP,

aleteó Birdy.

—¡Vamos, Birdy!

—animó Bou.

Birdy llevó volando el libro
de vuelta a la biblioteca.

¡pío!

AVES
del mundo

Bou bostezó. Y caminó con calma
hasta su casa del árbol donde...

—¡PÍÍÍO!

... ¡su nuevo amigo le estaba esperando!

—Shhh —se rio Bou—.

¡Vas a despertar
a todos!

—¡Buenas noches,
Birdy! —susurró Bou.